Le cahier
du bout du monde

Pour Clément.

Du même auteur

Une maman pas comme les autres
Moi, je reste
C'est la soupe à la grimace !
Un éléphant dans la neige
Vous avez un nouveau message
Quentin sur le quai

ACTES SUD JUNIOR

Éditeur : François Martin
Directeur artistique : Guillaume Berga

© Actes Sud, 2011
ISBN 978-2-330-00043-1

Loi 49-956 du 16 juillet 1949
sur les publications destinées à la jeunesse

FRANÇOISE GRARD

Le cahier
du bout
du monde

illustré par
AGNÈS MAUPRÉ

ACTES SUD JUNIOR

1

Chaque année, le 25 décembre en fin d'après-midi, mon père fait sa crise du bout du monde.

Alors que mon petit frère et moi, on aimerait rester à jouer tranquillement avec nos cadeaux et que ma mère voudrait lire au coin du feu les livres qu'elle vient de recevoir, lui, il déclare :

– Il n'y a pas de Noël sans bout du monde.

Tout le monde a compris depuis longtemps que c'était ça, son cadeau à lui : une grande promenade au bord de la mer. Pour en finir avec Noël qu'il n'aime pas.

Alors, on ramasse les papiers qui traînent, on souffle les bougies qui ont brûlé depuis le matin, on s'emmitoufle dans nos manteaux et on s'entasse dans la voiture.

Tristan qui n'a que cinq ans obtient d'emporter avec lui son cadeau préféré, même le super robot qui risque de perdre une de ses précieuses pièces, ou son dernier doudou très salissant.

Moi, je me contente de faire une pile de mes cadeaux en leur disant : "À tout à l'heure !"

Souvent nous partons au crépuscule : cela aussi fait partie du plan du "bout du monde". Papa affirme qu'après avoir trop mangé et trop festoyé, rien n'est meilleur que d'affronter les éléments.

Les éléments, ce sont le vent, la pluie (rien ne l'arrête) et pourquoi pas l'obscurité… Les trois réunis, c'est encore mieux.

Cette année, papa, plus ambitieux que jamais, a proposé la promenade au phare. Celle qui nous emmène tout au bout de la plage, loin des dernières maisons. Là où, au bord d'une lande désertique, se dresse le phare rongé d'algues et de rouille au bout de sa jetée. On appelle ce coin "la côte sauvage" ; j'aime ce nom autant que l'endroit lui-même.

– Le phare ? Tu ne crois pas que c'est un peu loin ? a murmuré maman, debout dans le garage, en remontant le col de son manteau.

Elle était un peu pâle, fatiguée par le grand dîner qu'elle avait organisé la veille au soir pour mes grands-parents.

– Ça va être formidable, tu vas voir, a répondu papa.

Et il a claqué sa portière avec un bel entrain qui a fait tanguer la voiture sur ses roues.

Sur place, il n'a pas été déçu : pas une âme sur la plage, grise à l'infini. De gros rouleaux s'écrasaient avec fracas et des mouettes criaient dans le vent déchaîné.

– En avant ! a hurlé papa en prenant la tête de l'expédition.

J'ai enfoncé mes mains dans mes poches et j'ai baissé le nez pour éviter que la tempête ne me coupe le visage.

À grandes enjambées, nous avons gagné le rivage. Les vagues, plus hautes que Tristan, s'élevaient comme des murailles. Nous nous sommes amusés à jeter des galets en visant leur crête écumeuse, à bombarder la

mer tout entière. Puis Tristan a commencé à ramasser une tonne de coquillages, comme chaque fois, toujours les mêmes et toujours indispensables : à faire crever ses poches.

– Marchons, a fini par dire papa, ou nous allons attraper la crève !

Maman s'est serrée contre lui :

– Dis donc, il ne fait vraiment pas chaud ; si on rentrait ?

– Bon, alors on va seulement jusqu'au grand rocher là-bas, et on repart ! Il faut tout de même digérer l'énorme bûche de ce midi !

Tristan qui déteste marcher s'est mis à pleurnicher. Lui aussi avait froid et voulait rentrer. Et puis il avait oublié ses gants dans la voiture.

Maman s'est écriée :

– Le pauvre chéri, il ne peut pas continuer sans gants !

J'ai vu que papa s'assombrissait comme le ciel et qu'il s'apprêtait à renoncer. Son cadeau de Noël allait être gâché… Alors j'ai proposé de courir à la voiture chercher les gants de Tristan. Ils n'avaient qu'à commencer à marcher, je les rattraperais.

Maman a protesté ; il vaudrait mieux qu'elle y aille elle-même. Mais papa a pris ma défense : c'était le genre de choses qu'une fille de douze ans était parfaitement capable de faire.

Il avait tout à fait raison ! Ceci dit, même si leur petit groupe restait parfaitement visible, je n'ai pas traîné quand j'ai rejoint le parking désert où seule notre vieille voiture affrontait le vent et le froid, le capot tourné vers le large.

J'ai su tout faire : ouvrir la portière avec la commande à distance, plonger sur la banquette arrière pour trouver les gants

dans la pénombre, ressortir après avoir soigneusement verrouillé la porte. J'ai même vérifié le verrouillage en actionnant la poignée. Puis, j'ai remis la commande dans ma poche.

Comme si, une fois ma mission accomplie, j'avais perdu toute mon assurance, je me suis mise à courir à toutes jambes pour rejoindre le petit groupe pris dans le crépuscule et qui me semblait soudain si lointain. J'ai trébuché plusieurs fois sur des pierres pour me retrouver enfin devant eux, hors d'haleine et victorieuse.

– Bravo ! a dit papa en posant sa main sur mon épaule. Et maintenant, on fait la course !

Maman s'est empressée de mettre ses gants à Tristan, et nous nous sommes lancés à la poursuite de papa. Finalement, c'était plutôt drôle de courir contre le vent en criant, de se poursuivre, de sauter en arrière pour esquiver une vague après s'en être approché tout près.

Plus personne n'avait froid, maman riait en regardant papa et Tristan se bagarrer, on avait les joues en feu, le cœur content, et papa avait l'air lui aussi d'avoir douze ans.

– Rien ne vaut le bout du monde, a-t-il déclaré sur le chemin du retour. Mais je reconnais qu'il est temps de rentrer. Tristan, il fait si sombre que je vais finir par te confondre avec une sardine.

La voiture nous attendait, tassée dans l'obscurité comme un gros chien fidèle.

– La commande ! m'a demandé papa.

Et là… au fond de mes poches, des coquillages, du sable qui s'est pris sous mes ongles, un bout de ficelle, un papier de bonbon, mais pas la moindre commande.

Autour de moi on se taisait tandis que je poursuivais une fouille inutile. Puis doucement, en se penchant vers moi, maman m'a demandé :

– Tu crois qu'elle est tombée ?

Papa s'est penché à son tour pour palper la doublure de mon anorak, au cas où la carte aurait filé par un trou au fond de ma poche. Puis sa voix a claqué :

– Mais enfin, Anna !!!

Maman lui a fait face :

– Ce qui est fait est fait. C'est aussi de notre faute : nous aurions dû récupérer cette commande quand Anna est revenue…

J'ai bien vu l'énorme effort que papa faisait pour ravaler sa colère. Comme quand on fait passer un gros cachet avec un verre d'eau. Puis il s'est mis à tourner en tous sens :

– Cherchons !

On s'est tous mis à examiner le sol, puis à élargir nos recherches en nous éloignant les uns des autres. Bien sûr, Tristan s'est découragé le premier :

– Je veux rentrer à la maison…

Papa s'est arrêté net :

– C'est absurde, nous ne la retrouverons jamais au milieu de cette obscurité, la plage est immense.

Alors j'ai repensé à la distance que j'avais parcourue pour rejoindre la voiture, à toutes les fois où j'avais buté, à la longue marche jusqu'au grand rocher. On s'est tous immobilisés. Dans le silence qui a suivi, j'ai entendu mes parents réfléchir :

– Il faudrait…

– On pourrait…

Moi, j'étais incapable de penser : je m'obstinais à gratter le fond de mes poches, à scruter le sol, tandis que "le bout du monde" refermait son piège sur nous.

– Quelle distance jusqu'aux premières maisons ? a demandé maman.

– Six kilomètres.

La voix de papa était froide comme la banquise. J'ai suivi des yeux la courbe de la route qui remontait la côte en direction du premier hameau : pas une voiture, pas une lumière…

De son côté, Tristan s'escrimait inutilement sur la poignée de la portière.

– Dommage, a dit papa, je suis incapable de fracturer une voiture.

Comme je rencontrais son regard, sans pouvoir retenir mes larmes, il m'a souri :

– Ne pleure pas, Anna, ça peut arriver à tout le monde.

– Parfaitement, a renchéri maman. Ton père a bien oublié les passeports un jour où nous prenions l'avion pour Madrid. Il s'en est aperçu en arrivant à l'aéroport !

– Ce n'est pas la peine de rappeler un de mes exploits vieux de dix ans, a protesté papa. Il y a prescription. On ferait mieux de réfléchir à ce que nous allons faire. Voici ce que je propose : tu vas m'attendre ici avec les enfants pendant que je fonce téléphoner depuis la première maison que je trouverai. Soit pour joindre un garagiste, soit pour trouver une voiture et venir vous chercher… et puis, je vais peut-être croiser quelqu'un en route !

Tristan s'est mis à crier :

– Je veux venir avec toi !

– Pas question, tu n'as pas les jambes assez longues. Et puis tu as mangé trop

de bûche, je ne pourrai jamais te porter !
Restez sagement avec maman.

Après avoir jeté un coup d'œil en direction du phare, sévère comme un gardien
solitaire, maman a eu l'air d'hésiter :

– Tu crois vraiment que…

Papa ne l'a pas laissée finir, il était déjà
en route en lançant derrière lui quelque
chose comme :

– Plus vite parti, plus vite revenu…

Une de ses phrases favorites.

2

Nous avons longtemps suivi papa des yeux, Tristan et moi serrés tous les deux contre maman. Quand il n'a plus été qu'un point noir sur la route, un tournant nous l'a pris. Maman s'est alors secouée, avec un petit rire crispé :

– Eh bien, il ne nous reste plus qu'à attendre tranquillement. Et d'abord nous mettre à l'abri du vent ! Quel froid ! Qui a une bonne idée ?

La bonne idée aurait été de se retrouver à la maison bien chaude, avec ses portes

et ses fenêtres fermées. Avec les hurle-ments du vent qui ne peut rien contre nous. Avec les lampes qui se moquent de la nuit. Je me suis dit que Noël finissait d'une drôle de façon, comme le puits du jeu de l'oie où il faut passer trois tours dans le noir avant de rejouer.

– On n'a qu'à aller dans la voiture ! s'est écrié Tristan qui, effectivement, n'a pas plus de cervelle qu'une sardine.

La sardine a réussi l'exploit de faire rire maman, mais pas moi.

– Pas si simple, a-t-elle dit en lui caressant la joue.

– Et si on allait du côté du phare ? ai-je proposé.

Il était temps que je rattrape ma bêtise en trouvant une solution lumineuse.

Maman n'a pas eu l'air convaincu :

– J'ai peur que le vent…

– On peut tout de même aller voir au lieu de rester plantés là.

Nous avons donc remonté le môle en nous tenant par la main. Il fallait retenir Tristan qui avait très envie de descendre les échelles de fer dont les barreaux s'enfonçaient jusqu'à l'eau dans la paroi de gros moellons.

Plus nous avancions, plus le phare semblait immense à toucher le ciel. Parvenus à son pied, nous en avons fait le tour. Il ne présentait qu'une toute petite porte à sa base, défendue par un gros cadenas. C'était vraiment le soir des portes fermées.

– C'est bien ce que je pensais, a dit maman. Ce n'est pas plus tenable ici que là-bas.

Ma solution lumineuse s'est éteinte aussi sec. J'ai levé la tête pour lorgner la lanterne du phare, éteinte, elle aussi, comme une paupière fermée. Puis, malgré l'obscurité, j'ai mis ma main en visière pour scruter la côte. En apercevant une masse sombre non loin du parking, j'ai bondi :

– Le bunker, si on allait dans le bunker !

Ma seconde idée, enfin, était la bonne : nous restions ainsi à proximité de la route pour guetter le retour de papa, tout en trouvant à nous abriter.

À peine nous étions-nous faufilés par la petite ouverture que le grondement du vent s'est assourdi. À l'intérieur, il faisait presque tiède comme si un peu d'été s'était attardé dans l'épaisseur des murs.

– Oh, la jolie maison ! s'est écrié Tristan.

Il avait retrouvé sa bonne humeur et s'était lancé dans une exploration de ce qui ressemblait davantage à une grotte de béton qu'à une maison. Rien de plus normal puisque papa m'a expliqué que les bunkers de la dernière guerre servaient d'abris militaires.

Alors que maman et moi nous penchions par la petite ouverture qui regardait vers le large, il a poussé une exclamation de surprise :

– Oh, quelqu'un a oublié quelque chose !

Et il a brandi dans la pénombre un objet volumineux. Sous le faisceau de ma lampe de poche est apparu un sac à dos bleu tout neuf.

– Sûrement un cadeau de Noël oublié, a dit maman.

Brusquement alarmé, Tristan a plongé dans sa poche pour vérifier la présence de son nouveau guerrier intersidéral. Tout allait bien.

Ensuite, nous nous sommes assis contre la muraille et nous avons commencé notre attente. Ce qui en soi n'est pas vraiment une occupation. Au bout d'un moment, brisé par la fatigue, Tristan s'est laissé glisser sur les jambes de maman et a fermé les yeux.

– Dors, mon bébé, a-t-elle murmuré en refermant ses bras sur lui.

Et lui qui rechigne toujours à monter se coucher, il lui a obéi dans les deux minutes.

Je l'ai envié : du moment qu'il est avec maman, il est chez lui. Même sur un rocher en pleine mer. Moi, je m'inquiétais :

– Tu crois que papa va revenir bientôt ?

Maman m'a rassurée : il fallait juste un peu de patience. Je n'aime pas ce mot de "patience" ; il contient de la douleur. Et puis je déteste ne rien faire : j'ai l'impression de tomber dans un trou de la vie. Heureusement que bavarder peut remplir ce trou. J'ai réfléchi en grattant le sol entre mes pieds, puis j'ai demandé :

– Pourquoi papa n'aime pas Noël ?

Maman a souri dans le noir :

– Tu as remarqué ça, toi ?

– Réponds-moi !

– Parce que…

Elle a passé une main lente dans ses cheveux et, après un soupir, elle a laissé tomber :

– Parce qu'il n'en a pas que des bons souvenirs.

J'ai protesté :

– Mais Noël, c'est toujours bien, chez nous !

– Pas de bons souvenirs dans son passé de petit garçon. Ce sont ceux-là qui comptent...

Maintenant il faisait si noir qu'on ne distinguait même plus l'entrée du bunker. Moi qui refuse qu'on ferme les volets de ma chambre, je me suis rapprochée de maman et je lui ai pris la main.

– Tu as peur ? a-t-elle demandé d'une voix légère.

– Si quelqu'un venait...

– Qui pourrait venir à cette heure, par ce froid et ce vent ? Nous sommes ici comme sur une île déserte.

Cette idée n'était pas plus rassurante et je me suis mise à tendre l'oreille vers l'extérieur. Entre les rafales de vent, passaient des bruits étranges, des sifflements brefs, des grattements, des souffles comme si un monstre posté à l'entrée chassait l'air par ses énormes narines.

Maman me devine presque toujours. Elle a tendu le bras pour ramener à elle le sac à dos et m'a dit :

– Pour t'occuper, tu devrais regarder le contenu ; il pourrait nous renseigner sur son propriétaire.

J'ai calé ma lampe de poche contre ma poitrine et j'ai dénoué les cordons. À l'intérieur, il n'y avait pas grand-chose : un paquet de biscuits, une bouteille d'eau, un cahier de brouillon comme ceux qu'on utilise à l'école. Je l'ai ouvert. Sur la première

page, écrit au crayon d'une petite écriture serrée, j'ai déchiffré :

Lundi 24 décembre, veille de Noël, dans mon bunker.

J'ai toujours détesté Noël, mais cette année c'est pire.

L'idée qu'il va falloir tout à l'heure ouvrir la porte à ces gens-là me file la gerbe. Sous prétexte que Noël est aussi la fête des voisins, maman les a invités à déjeuner. Heureusement, pour l'instant, elle ne se doute de rien. Elle est trop occupée à cuisiner. On dirait qu'elle joue son honneur dans ses casseroles.

Le plus probable, c'est qu'ils fermeront leur caquet. Ce sont de "bons voisins", affirme maman en ajoutant que nous devons accueillir ces nouveaux arrivants. Son fameux devoir d'hospitalité.

En tout cas, même si les parents n'ont pas les mauvaises intentions de leur fils, je n'aurais jamais dû accepter de parler avec leur Maxime. Il a beau arborer ses quinze ans tout neufs et cracher sur mes douze, quand il s'est planté devant moi à la sortie de la boulangerie, j'aurais dû me tirer. Il a grimacé un sourire en tirant sur sa clope dégoûtante. Comme un imbécile, j'ai cru qu'il allait la jouer "on est entre nous, entre potes…", tout ça parce qu'on a tapé dans un ballon ensemble deux ou trois fois.

Pas du tout.

Il a remonté la manche de son blouson pour me montrer les marques de la morsure sur son bras. Puis, toujours avec son sale sourire, il m'a dit qu'il allait venir à la maison quand nous n'y serions pas et qu'il allait "faire sa fête" à Théo. Qu'il allait lui faire la peau.

Ce n'est pas sa faute à Théo s'il est mauvais parfois. Pas sa faute du tout. D'ailleurs, c'est Maxime qui l'a provoqué en se moquant de son nez bossu et de ses oreilles décollées. Dans le jardin, il lui a même balancé un coup de pied ; j'ai bien vu ! Quand Théo s'est jeté sur lui, j'ai tout fait pour le retenir, mais il ne m'écoutait plus. Dans ces cas-là, il devient sourd et la fureur lui fait des yeux rouges qui me font presque peur.

En rentrant à la maison, je suis allé lui parler. Il était couché sur mon lit, bien tranquille, bien doux, avec son air rêveur. Je me suis assis à côté de lui et je lui ai dit que c'était parce qu'il avait peur qu'il faisait le méchant. Mais qu'il fallait qu'il se corrige, parce que ça finirait mal.

Les adoptés sont des gens blessés, c'est maman qui le répète souvent. Elle dit que quand on a été abandonné une fois, il faut beaucoup de temps pour être consolé et pour lâcher sa méfiance.

Ça a marché pour moi. Il paraît que je mordais à l'école quand j'étais petit. Comme Théo. Maintenant, j'ai plein de copains.

Avec Théo, il faut surtout du temps et de l'indulgence. Cela fait seulement un an qu'il est avec nous.

Je lui ai parlé comme ça longtemps, comme maman me parlait quand j'avais de grosses colères et que je me faisais mal en me roulant par terre. Elle s'asseyait à côté de moi, parlait sans s'arrêter et au bout d'un moment, sa voix me parvenait à travers le brouillard de ma rage.

Mardi 25 décembre, jour de Noël. Dans mon bunker.

Quand j'ai reparlé ce matin avec maman du dîner d'hier, j'ai bien vu qu'elle était fâchée. Ces imbéciles n'ont pu s'empêcher de reparler de l'affaire de la morsure. Maman s'est excusée à nouveau en disant que cela ne se reproduirait plus, mais je voyais qu'elle n'y croyait pas elle-même. Ce n'est pas la première fois que Théo est incontrôlable. Elle a murmuré : "Il faudra peut-être prendre des mesures…" J'ai tremblé. Est-ce qu'elle serait capable de le ramener dans son orphelinat à lui ? Plutôt que de l'interroger sur ces "mesures", j'ai prétexté un cours à filer à Antoine et j'ai sorti ma bicyclette de la grange. Théo adore m'accompagner partout où je vais et nous sommes partis tous les deux jusqu'ici.

Sur place, je ne lui ai pas donné le choix. Il a pleuré, il s'est cramponné à mon pantalon, mais je l'ai repoussé et enfermé en lui laissant à manger et à boire. Là où il est, personne ne le trouvera. Tout le monde croira à une fugue. Il en a déjà fait plusieurs.

Maintenant, reste à savoir comment je vais me débrouiller pour passer lui donner à manger deux fois par jour. Et pour rester avec lui le temps qu'il se console un peu. J'ai pris soin d'emporter ses jouets. C'est fou le temps qu'il peut passer en leur compagnie. Et puis c'est un grand rêveur. Que voit-il de si beau en lui-même, quelles pensées l'absorbent si longtemps, les yeux mi-clos, le souffle lourd ?

Il me faudrait de l'aide. Mais qui voudrait partager un tel secret ? Les copains sont gentils mais ils ne comprendront jamais. Il ne savent pas ce que c'est qu'être abandonné… Et puis Théo est un solitaire, il ne veut jouer avec personne. Alors

*personne ne l'aime vraiment, sauf moi. En plus,
il est moche…*

3

Quand j'ai relevé les yeux du cahier, j'ai découvert que maman s'était endormie. Concentrée sur ma lecture, je ne m'étais pas aperçue qu'elle pesait de plus en plus lourd contre mon épaule et que son menton s'était effondré sur sa poitrine. Décidément, Noël l'avait épuisée.

Comme il n'y avait plus que moi d'éveillée dans la grotte de béton, j'ai décidé de monter seule la garde. Le vent hurlait toujours en raclant la muraille comme une lame. Mais j'étais bien trop occupée par ma découverte pour me fabriquer des peurs. Il y avait beaucoup plus intéressant. Comme de me demander qui était l'auteur de ces lignes. Je tenais son âge, douze ans, mais guère plus.

Alors, j'ai décidé de tout relire à la recherche d'un indice : garçon ou fille ? Finalement, je me suis souvenue des règles d'accord, et me suis dit que la connaissance de la grammaire pouvait m'être exceptionnellement utile. Si le propriétaire du cahier la maîtrisait, il avait volontairement accordé "je me suis assis" au masculin. Donc il s'agissait d'un garçon.

Bien joué, me suis-je dit, assez fière de moi. Et ensuite ? Que ce garçon était adopté, qu'il vivait avec sa mère et un certain Théo. J'aime ce prénom, c'est celui de mon cousin. Donc Théo, adopté lui aussi, mauvais à ses heures, était en danger.

On voulait sa peau. L'expression m'a fait penser à un règlement de comptes entre gangsters, ou à l'affrontement de bandes rivales comme on en entend parler aux informations.

Curieusement, alors que les catastrophes débitées par les informations me donnent en général envie de me boucher les oreilles, je me suis aperçue que mes doigts, serrés contre le cahier, tremblaient d'excitation. Quelqu'un, quelques heures avant nous, était passé par ici et avait laissé derrière lui ce mince témoignage sur sa vie. Mince comme la meurtrière du bunker à peine plus claire dans la nuit que la muraille. Peut-être parce que lire un inconnu, c'est comme entendre une voix, j'avais l'impression qu'on s'adressait à moi. Qu'on m'appelait.

D'ailleurs, Noël au bout du monde m'avait bel et bien conduite à ce cahier.

Poursuivant mon enquête, je me suis dit ensuite que l'inconnu qui se rendait à bicyclette dans "son bunker" ne pouvait qu'habiter le coin.

Ma lampe électrique entre les dents, j'ai fouillé à nouveau le sac, j'avais peut-être négligé un détail. Tout au fond, j'ai aperçu un petit morceau de papier froissé. C'était un ticket de caisse de supermarché, celui qui se trouve rue de La-Vieille-Porte où nous allons parfois. Parce qu'il reste ouvert le dimanche et les jours de fête. Je l'ai examiné : 25 décembre, 11 heures. J'ai sursauté : j'y étais moi-même ce matin, à peu près à cette heure-là, puisque maman m'avait demandé en catastrophe d'aller chercher des citrons pour sa sauce à la crème.

En me concentrant dans le noir, j'ai tenté de revenir à ces quelques minutes que j'avais passées dans le magasin. Il y avait des clients, bien sûr, mais impossible de me les représenter ; on vit les yeux fermés, on court, on agit les yeux fermés. Seules des silhouettes grises passaient dans ma mémoire, à part le sourire rose de la caissière, du même rose que sa blouse.

Le seul moment où je m'étais peut-être intéressée à ceux qui m'entouraient ne pouvait être que celui de l'attente à la caisse. C'est un moment très ennuyeux où l'on cherche la distraction sur le dos des gens qui nous précèdent. J'ai revu la couverture d'un magazine en présentoir, et juste à côté, comme un sujet coupé dans un tableau, le bord d'un bonnet à ma hauteur. Noir, avec des protège-oreilles comme ceux des bonnets péruviens.

Cela ne pouvait être l'inconnu, les garçons de douze ans me dépassent tous d'une tête.

Ensuite, ma mémoire s'est épuisée... plus de batteries.

J'ai tout remis dans le sac. Au même moment, maman s'est éveillée tandis que des pas frottaient le seuil et qu'un faisceau de lampe électrique croisait le mien en m'aveuglant. Une gerbe de lumière éblouissante a explosé dans le bunker.

– Papa ! a crié Tristan, tiré de son sommeil par le sursaut de maman.

La lampe électrique a reculé, surprise elle aussi. Il y a eu un moment de silence, puis la lampe est descendue sur le sac posé sur mes genoux.

– C'est mon sac ! a dit la voix du cahier.

Je me suis levée et j'ai avancé en direction de la silhouette que ma lampe à moi découpait : de ma taille, surmontée d'un bonnet à oreilles.

– Le voilà ! ai-je dit en tendant le sac.

La silhouette a fait un pas. Sous le bonnet, j'ai rencontré le regard perçant de deux yeux brillants, incrustés comme des pierres précieuses dans une peau mate.

Derrière moi maman a pris la parole à sa façon bienveillante habituelle :

– Eh bien, c'est courageux de venir jusqu'ici le chercher.

Le regard du garçon n'a pas dévié du mien. Comme si je lisais la suite de son cahier, j'ai eu la certitude de lire son regard. J'ai balbutié pour le rassurer :

– On vient juste d'arriver, on attend mon père.

J'ai cru deviner du soulagement dans les yeux noirs qui ont cillé.

Puis il a disparu, d'un seul mouvement silencieux. Heureusement que j'avais eu le temps de refermer le sac ; ensuite, je me suis demandé : un lecteur laisse-t-il une trace de son passage ?

Tristan a commencé à se plaindre en disant qu'il avait froid, qu'il avait faim, qu'il voulait rentrer. Maman l'a fait patienter en jouant aux devinettes. De mon côté, j'ai examiné le bunker dans ses moindres détails, mais à part un papier froissé et un élastique qui avait dû glisser d'une chevelure, je n'ai rien trouvé.

Beaucoup plus tard, nous avons enfin entendu le bruit d'une voiture. Nous avons bondi à l'extérieur pour la voir se garer à côté de la nôtre. Papa a surgi de la portière du passager ; il avait l'air ravi. Ils nous a présenté à un monsieur qui a quitté ses gants et soulevé son chapeau pour saluer maman.

Presque parvenu chez nous, papa avait enfin réussi à intercepter une voiture qui allait dans la direction du phare. Ce monsieur s'était révélé le nouveau collaborateur recruté par son entreprise. Et cette coïncidence les avait fait bien rire.

– Quel bon Noël, répétait papa en se frottant les mains. Je n'ai jamais marché aussi vite de ma vie, dans la nuit et le vent ! Et puis cette rencontre !

Maman le regardait en souriant ; la fatigue s'était effacée de son visage. Nous nous sommes entassés dans cette voiture, chaude comme un œuf, tandis que les deux nouveaux collaborateurs évoquaient avec entrain "les réunions" du lendemain.

Collée contre la vitre couverte de buée, j'ai dessiné du bout du doigt un bonnet à oreilles et deux yeux ronds comme ceux des lutins accrochés au sapin. Moi aussi, je tenais ma rencontre de Noël.

4

Mais voilà, Noël, c'est seulement l'affaire d'une journée. Dès le lendemain, le fer à repasser de la vie ordinaire aplatit sa magie, tout s'efface.

On est riche de quelques objets de plus, de quelques calories de plus, de quelques instants de plus à ranger dans les beaux souvenirs. Tandis que le meilleur, l'attente, est reportée à une date très ultérieure.

Pourtant cette année, Noël laissait dans son sillage une traînée d'excitation

persistante. Papa répétait que la promenade au phare lui avait valu le début d'une amitié, Tristan voulait retourner au bunker chercher un trésor, et moi j'étais hantée par un bonnet péruvien. De son côté, maman, pâle et le nez rouge, soignait difficilement un gros rhume qui la faisait larmoyer, renifler et tousser à grosses quintes.

Du coup, nous sommes restés à la maison. Comme notre voisine qui trompe son ennui en regardant par la fenêtre, je surveillais la rue dans l'espoir idiot de voir passer mon écrivain. Je ne pouvais croire que je ne le reverrais jamais ; encore moins que je pourrais l'oublier. Les heures passaient et comme on entretient un feu pour qu'il ne s'éteigne pas, je relançais les mêmes questions sans réponse : Où était Théo ? Supportait-il sa captivité ? Comment l'écrivain pouvait-il infliger une pareille inquiétude à sa mère ? Toute la police de la région devait rechercher le fugueur…

Je déteste quand maman est malade ; même si ce n'est pas grave, j'ai l'impression qu'une menace pèse sur la maison et que la vie a perdu son goût. Elle était si fatiguée encore deux jours après qu'en la voyant s'apprêter pour faire des courses, je lui ai proposé de les faire à sa place.

– Tu crois ? a-t-elle murmuré en faisant glisser son manteau sur son épaule.

– Maman, j'ai douze ans !

En revendiquant cette belle maturité, je l'ai fait rire et tousser. Et comme elle restait sans voix, j'en ai profité pour la débarrasser de son manteau, de son panier, de la liste des courses et même de sa carte bleue. Elle s'est laissé faire sans vraiment protester :

– Mais tu ne sais pas le code !

– Si : 24 02, ma date de naissance, tu me l'as dit l'été dernier !

Ma bonne mémoire a achevé de la convaincre ; j'ai filé très vite de peur qu'elle ne revienne sur sa décision.

C'est seulement dehors qu'au lieu de prendre à droite, j'ai brusquement pris à gauche, en direction du supermarché de La Vieille Porte.

En me voyant courir à toutes jambes, on aurait pu croire que j'étais en retard à un rendez-vous dont dépendait la fin du monde.

Sans avoir prémédité cette escapade, elle m'apparaissait soudain sous la lumière éblouissante d'un signe du destin.

L'écrivain, en panne de nourriture pour Théo, serait forcément à La Vieille Porte. Le supermarché, comme le bunker, allait nous réunir, forcément.

En arrivant, j'ai très vite compris que le destin n'était pas à mes ordres ou qu'il faisait la grève ce jour-là : pas plus d'écrivain que de signes de feu gravés dans la façade du magasin.

Pour retarder le plus longtemps possible ma déception, j'ai sillonné les allées en tous sens, sursautant d'espoir à chaque tournant. Cependant, au bout d'un moment, m'est revenue la vraie raison de ma présence en ce lieu : les courses de maman.

Je les ai fait durer ces courses, interminablement. Je lisais chaque étiquette, j'hésitais entre les marques des mêmes produits, soupesant chaque boîte comme un contrôleur des prix.

Finalement, un coup d'œil à ma montre m'a rappelé que maman m'attendait et qu'elle allait même s'inquiéter. Le seul moment intéressant a été celui où j'ai payé avec sa carte bleue : c'était impressionnant comme les formules magiques des contes, les chiffres connus de moi seule m'ouvraient les richesses de cette caverne remplie de victuailles.

Comme un malheur n'arrive jamais seul, juste avant de sortir, je me suis cognée dans Mme Richard, notre voisine, celle qui passe ses journées derrière son carreau à épier la rue.

Ma vue l'a fait jubiler. Un otage, elle tenait un otage ! Au milieu des courants d'air, elle m'a harcelée de questions : Qui avions-nous reçu pour Noël ? Pourquoi était-ce moi qui faisais les courses ? Et pour le premier janvier, qu'allions-nous faire ?

Entre l'exaspération et le poids des paquets, il était au-dessus de mes forces de regarder ses mèches grises et ses dents écartées. Tout en répondant par mono-syllabes, je laissai traîner mon regard à l'extérieur, quand je l'ai aperçu. Il marchait très vite, les mains enfoncées dans ses poches, la tête baissée. Mais son bonnet l'avait trahi.

Réconciliée avec le destin, je l'ai supplié intérieurement et il m'a entendue : l'écrivain, sans me voir, est entré dans le supermarché.

J'ai alors exploité mes talents de comédienne en feignant brusquement d'avoir oublié quelque chose de vital, et j'ai planté là Mme Richard qui en est restée la bouche ouverte.

À l'intérieur, j'ai suivi mon écrivain à distance. Il est allé droit au rayon des eaux minérales, puis il a acheté de la viande, beaucoup de viande, et des biscuits. Au passage, j'ai attrapé moi-même un sachet des caramels préférés de Tristan (je n'aime pas les caramels, il s'agissait seulement de me donner bonne conscience), ainsi qu'un tube de dentifrice d'utilité générale. Ainsi maman serait impressionnée par ma présence d'esprit.

Parvenue à la caisse, j'ai coupé la file d'une façon fort impolie pour me trouver derrière le bonnet. La situation de l'avant-veille se reproduisait à l'identique, le même bonnet, le même présentoir à journaux ; deux images se superposaient, la seconde cette fois retenant toute mon attention.

– Dix-sept euros ! a lancé la caissière à son jeune client qui s'est mis à fouiller dans ses poches.

Puis il a tendu une poignée de pièces.

– Il manque huit euros ! a protesté la caissière en laissant retomber les pièces sur le tapis roulant.

L'écrivain a farfouillé un moment dans son autre poche, puis je l'ai entendu grommeler :

– C'est tout ce que j'ai…

La caissière a froncé les sourcils en se raidissant sur sa chaise pivotante. Il y a eu un affreux silence ; derrière moi, des clients s'agitaient.

J'ai alors tendu la main pour toucher l'épaule de l'écrivain qui s'est retourné nerveusement.

– Je paie ! ai-je murmuré en brandissant la carte de maman.

L'écrivain a pris un air si méfiant que tout son visage s'est froncé autour de son nez :

– Mais…

– Décidez-vous !

La caissière s'impatientait ; je l'ai vue qui s'apprêtait à décrocher son téléphone pour appeler la direction.

Un éclair violent comme un flash a jailli des yeux du garçon. Je l'ai vu esquisser le geste de jeter ses achats à pleine volée. Alors j'ai dit plus bas encore :

– Et Théo, comment il va survivre ?

D'un coup, ses yeux se sont éteints, il a reculé un peu comme si je l'avais frappé. J'en ai profité pour me glisser à la hauteur de la caisse, et j'ai tout réglé.

Nous sommes sortis sans échanger un mot. Sur le trottoir, je lui ai tendu le sac de ses courses. J'étais surprise comme la première fois par la similitude de nos tailles. Nos regards s'ajustaient parfaitement comme deux fenêtres en vis-à-vis qui croisent leurs mondes. Alors que je m'apprêtais à tourner les talons, tremblante d'une émotion qui soudain me donnait envie de fuir, il a dit de sa voix rauque :

– Comment je vais faire pour te rembourser ?

– Quand tu pourras, ai-je murmuré en filant obliquement.

Une main dure s'est alors abattue sur mon bras :

– Alors, comme ça, tu as lu mon cahier ?

J'ai fait "oui" de la tête, affreusement gênée. Soudain je regrettais tout ; j'aurais voulu n'être jamais allée au bunker ou seulement avoir écouté les histoires de maman en m'assoupissant contre elle. Un coup d'œil au visage de l'écrivain et je l'ai trouvé laid à faire peur : grimaçant, ses yeux enfoncés comme des cailloux, haineux. Si différent de celui que je m'étais imaginé en lisant ses lignes.

Alors dans un sursaut de révolte, je lui ai lancé en pleine figure :

– C'était très beau ce que tu écrivais, c'était… pas comme toi !

Et je me suis enfuie sans me retourner.

5

En fin d'après-midi, j'étais tellement silencieuse que maman m'a demandé ce qui n'allait pas. J'ai répondu "rien", comme je réponds toujours. D'ordinaire, ce "rien" est une invitation à poursuivre l'enquête. Maman est la meilleure détective de chagrin que je connaisse. Quand elle a voulu me prendre dans ses bras, j'ai préféré monter dans ma chambre, craignant de céder à la tentation de tout lui dire. J'avais déjà trahi une première fois l'écrivain en lisant son cahier, je n'allais pas le faire une seconde fois.

Jetée en travers de mon lit, j'ai tenté en lisant de chasser ma déception. Elle était lourde comme un mensonge, collante comme la tristesse du dimanche soir. Malgré mes efforts pour me concentrer, l'histoire m'a paru aussi fade qu'une blague de maternelle. Alors, j'ai jeté le livre de toutes mes forces contre le mur qui n'y était pour rien.

Cela ne m'a pas soulagée. J'ai pensé appeler Élodie, ma meilleure amie ; mais qu'aurait compris à mon histoire cette fille sage qui ne pense qu'à ses devoirs et à ses leçons de piano ?

En regardant finalement par la fenêtre pour m'occuper comme Mme Richard, j'ai aperçu quelque chose qui brillait sous le réverbère, dans la haie de thuyas. Un carré blanc qui ressemblait à une enveloppe. Nous avons pourtant une belle boîte aux lettres que papa a construite dans une ancienne mangeoire à oiseaux.

Je me suis glissée dehors pendant que maman et Tristan étaient dans la cuisine et je me suis emparée de ce qui était bien une enveloppe bizarrement alourdie. À l'intérieur, il y avait dix-sept euros et une feuille pliée. J'ai tout de suite reconnu l'écriture de l'écrivain :

Salut !

Grâce à mes étrennes je peux te rembourser. Merci pour ton aide.

Je serai demain au bunker vers 3 heures. Si tu veux, je te présenterai Théo. Il a besoin de compagnie.

PS : Détruis ce message dès que tu l'auras lu et ne parle à personne de notre rendez-vous.

PS 2 : Si ça se trouve tu n'auras jamais cette lettre. Désolé pour les sous… Désolé aussi pour tout à l'heure, je n'ai pas été vraiment sympa. Je suis comme ça quand je suis surpris. Je t'ai suivie pour savoir où tu habitais. Si tu ne viens pas demain, je comprendrai que tu ne veuilles jamais me revoir.

De saisissement, je me suis laissée tomber sur l'herbe mouillée. À mesure que je relisais la lettre, je retrouvais le visage aimable de l'écrivain. Les cailloux de ses yeux brillaient à nouveau comme des pierres précieuses. Mon cœur battait ; un frémissement intérieur, comme celui de l'eau qui bout, chassait ma tristesse.

Au dîner, tout allait mieux : la vie s'était remise en marche. Et quand Tristan a réclamé pour lui tout seul la

dernière part de bûche, je la lui ai laissée avec une indulgence qui ne m'a pas
coûté mais qui a fait plaisir à maman.
J'ai regardé le veinard s'empiffrer en
me disant que je n'échangerais pour
rien sa misérable existence contre la
mienne.

Ce n'est qu'en montant me coucher,
pile au milieu de l'escalier, que j'ai enfin
véritablement mesuré ma situation.

Du coup, toute ma joie est tombée.
Si la lettre de l'écrivain avait jeté une si
belle lueur sur cette fin de journée, cette
lueur venait de s'éteindre. Car prendre
une décision concernant le rendez-vous
du lendemain n'était pas une mince
affaire.

En fait, échanger avec l'écrivain des
lettres mystérieuses m'aurait largement
suffi. Qu'il reste à la lisière de ma vie en

y semant des petits cailloux griffonnés de loin en loin, de façon à entretenir mon rêve, aurait été parfait.

Alors que me rendre au bunker par mes propres moyens, me rendre "au bout du monde" ?

Je me suis couchée, accablée.

Mais tout tourne, la joie, la peine, et même le courage. Le lendemain, vers 2 heures, j'étais sur mon vélo en train de pédaler sur la route de la côte sauvage. Heureusement que depuis le début de l'année, maman m'autorisait à sortir seule. À quoi servirait un cadeau d'anniversaire remisé dans le garage ? "Tu ne vas pas loin au moins ?" a-t-elle demandé pour se rassurer. J'ai fait "non" de la tête, un mensonge silencieux, plus léger qu'une parole.

En serrant les dents, j'ai couvert les six kilomètres en un temps record. J'avais repéré le chemin en apprenant la carte par cœur. En fait, c'était très simple : une fois sur la bonne route, c'était tout droit. Passé les dernières maisons, la silhouette rassurante du phare s'est dessinée dans le ciel bleu.

En arrivant, j'ai appuyé mon vélo contre la muraille du bunker et j'ai regardé autour de moi. À part quelques promeneurs sur la plage, loin en contrebas, l'endroit était aussi désert que le soir de Noël. Mais avec le blanc soleil d'hiver fondu dans le ciel et les mouettes qui dansaient au-dessus des vagues, toute mon inquiétude s'est dissipée. Comme j'avais oublié ma montre dans la salle de bains, je ne savais pas si j'étais en retard ou en avance. Alors j'ai décidé de m'asseoir contre la muraille. Le soleil était tiède sur mes joues et les cailloux que je soulevais doux comme des paumes de main.

Soudain un grand chien jaune a surgi après avoir escaladé d'un bond le remblai du chemin. Ses grandes oreilles battaient, à demi retournées, et sur son long museau râpé une drôle de bosse pointait.

À un mètre de moi, il s'est arrêté, raide et vibrant sur ses pattes grêles, et s'est mis à gronder. Je me suis vite redressée pour me plaquer contre la muraille. Je lui ai parlé doucement tandis qu'il me reniflait de loin avec des narines frémissantes et mouillées. Je l'avais surpris autant qu'il m'avait surprise.

Je ne sais pas combien de temps nous serions restés à nous observer l'un l'autre si un sifflement aigu n'avait retenti derrière le remblai. Le chien a bondi en arrière puis a disparu.

Un instant après, le bonnet noir a surgi et j'ai vu l'écrivain escalader à son tour le remblai. Il est resté un instant à cligner des yeux dans ma direction puis il s'est approché lentement.

– Salut… a-t-il dit simplement.

Au même moment, le chien jaune a réapparu pour se frotter contre ses jambes.

– Je te présente Théo ! a dit l'écrivain en caressant l'animal.

J'ai voulu dire quelque chose mais ma voix s'est perdue. Devant mon silence, le garçon m'a regardée par en dessous avec un air contrarié :

– Je sais, il n'est pas beau, mais…

Enfin, ma voix est revenue :

– Ce n'est pas ça…

Puis je me suis ravisée. Je n'allais tout de même pas lui avouer mon erreur, pas plus que ma monumentale surprise. Je me suis seulement laissée aller à sourire puis à rire, tant j'étais soulagée. Théo n'était qu'un chien ! Qu'un chien aussi précieux à son maître que le petit frère que j'avais cru deviner...

Du coup, l'écrivain m'a paru beaucoup plus jeune, un peu comme mon petit frère à moi.

Nous sommes redescendus sur la plage où Théo s'est mis à galoper comme un fou en insultant les mouettes. Il avait grand besoin de liberté, m'a expliqué l'écrivain qui s'appelait en fait Vincent. Toute la journée et toute la nuit dans son cabanon de pêcheur où son maître l'avait enfermé, il devenait intenable.

Quand j'ai demandé à Vincent si sa mère ne s'inquiétait pas trop, il s'est assombri :

– Pas vraiment... je crois même que s'il était perdu pour toujours, elle n'en serait pas fâchée. Il a si mauvais caractère.

À la vérité, c'était le plus sauvage des chiens du refuge. Personne ne voulait l'adopter. C'était pour cette raison que Vincent l'avait choisi.

– Il a bien voulu que je l'approche et même que je le caresse. Le personnel était très surpris et bien content que je l'en débarrasse.

Nous nous étions approchés de l'eau et Théo, à moitié trempé par les vagues, révélait sous son poil rare son corps chétif et sa grosse tête.

Vincent s'était immobilisé, les mains dans les poches, à le regarder :

– Moi je le trouve magnifique. Il se bat jusqu'au bout, il ne se rend jamais. Plutôt crever. Comme moi…

J'ai retenu mon souffle. Parfois, il faut savoir ne rien dire mais seulement écouter. Quelque chose de si grave, de si fragile, était passé dans la voix de l'écrivain. Au bout d'un moment, j'ai repris :

– Mais tu ne peux pas éternellement le cacher. Qu'est-ce que tu vas faire de lui ?

Vincent a ramassé un galet et l'a jeté très loin dans la mer :

– Je ne sais pas.

J'ai compris que ce n'était pas la peine d'insister. Nous avons poursuivi notre promenade en bavardant. Comme il tardait à me demander mon prénom, j'ai fini par le lui dire. Il a réfléchi un instant, puis il a déclaré :

– C'est un beau prénom. Tu te rends compte qu'il se lit dans les deux sens ?

Cette découverte m'a éblouie ; j'ai eu l'impression d'être soudain quelqu'un de beaucoup plus intéressant. Quelqu'un de neuf, comme notre promenade que j'avais l'impression de faire pour la première fois. En regardant autour de moi les vagues, la gaieté des promeneurs, le bleu de la mer, j'en ai conclu que ce devait être un des effets de l'amitié : un recommencement à tout.

6

Finalement, j'ai connu les meilleures
vacances de Noël de ma vie. Le plus souvent
possible, je rejoignais Vincent sur la côte
sauvage. Théo s'habituait à sa nouvelle vie,
sans doute parce qu'il avait connu l'enfer-
mement au chenil pendant de longs mois.
Quand les chiens s'ennuient, m'a expliqué
Vincent, ils dorment sur commande. Manger et se promener avec nous formaient
pour lui des moments forts, coupés d'oubli.

Vincent ne parlait ni de la rentrée des
classes ni de l'avenir de Théo. Il devait y

penser bien sûr, mais le fait de ne pas évoquer ses inquiétudes lui permettait de profiter des moments que nous partagions et du bonheur de son cher compagnon.

– Je ne l'ai jamais vu si heureux, répétait-il. C'est un solitaire. À part moi, la société des humains lui est insupportable. On a dû lui faire du mal dans sa vie antérieure. Tu as vu cette bosse sur son nez ? Un coup de bâton sûrement. C'est un incompris.

Cette fois il n'a pas ajouté "comme moi", mais je l'ai lu sur ses lèvres.

Il y avait ainsi beaucoup de choses à deviner chez Vincent, et beaucoup de points communs avec son Théo. Bien sûr, il ne mordait plus, mais la vie au collège lui pesait. Ses camarades l'agaçaient, ses professeurs l'irritaient.

– Tu dois bien les irriter aussi parfois, lui ai-je lancé un jour.

Une lueur mauvaise est passée dans ses yeux incrustés ; j'ai cru un instant qu'il allait se fâcher. Après un moment de silence pendant lequel il a tapé dans le sable avec sa chaussure, il a fini par dire :

– Peut-être… mais toi tu ne m'irrites jamais.

Les jours de pluie, Théo couché à nos pieds, nous nous réfugiions dans le bunker. J'apportais à Vincent quelques-uns de mes livres préférés qu'il dévorait chez lui le soir même. De son côté, il m'a lu les poèmes qu'il collectionnait dans un cahier semblable à celui que j'avais découvert dans le sac du bunker. Au collège, tout l'ennuyait à part ce qui touchait aux livres. Il pouvait réciter des dizaines de vers sans se tromper. Et je l'écoutais, les yeux à demi fermés, des images plein la tête.

Le dimanche qui a précédé la rentrée, j'ai réussi à m'échapper une dernière fois. Heureusement mon père encourageait mes courses à vélo qu'il jugeait "saines" et "fortifiantes". À la longue, pour éviter les soupçons, j'avais fini par m'inventer une bande de copains du collège adeptes eux aussi de l'exercice physique. Maman me regardait d'un drôle d'air mais comme par ailleurs mon excellente humeur tranchait avec ma morosité habituelle en temps de vacances, elle ne protestait que pour la forme.

Ce jour-là, il y avait plus de monde que d'habitude à cause du beau temps glacé et peut-être de la rentrée toute proche.

Des cerfs-volants flottaient au-dessus des vagues en faisant concurrence aux mouettes ; des petits enfants emmitouflés tapaient sur des seaux ou pataugeaient dans les flaques.

Un peu inquiète, j'ai dit à Vincent :

– Tu ne crois pas qu'il faudrait mettre Théo en laisse ?

– Impossible, il a toujours refusé la laisse. Ça le rend fou, il s'étrangle à force de tirer.

– Mais il y a des enfants partout !

Vincent a pris l'air buté que je commençais à bien connaître. Il a marmonné :

– Nous irons au bout de la plage.

C'est alors que j'ai eu une mauvaise idée :

– Passons alors par le chemin de la falaise, il y aura moins de monde.

Sur la falaise, un mince sentier serpente entre des touffes de genêts et des arbustes rabougris. Le vent souffle en rafales dures comme des lames. Si on jette un coup d'œil dans le vide, on sent le fond de son ventre se pincer. Il faut marcher à la queue leu leu, en silence, car le vent emporte les paroles.

Théo bondissait en avant, insouciant des promeneurs qu'il frôlait. Ses fortes griffes mordaient les rochers couverts de lichens. Parfois, pour nous attendre, il se juchait au sommet de l'un d'eux, la langue pendante et triomphante. À d'autres moments, il rasait l'abîme avec un malin plaisir qui me terrifiait. Affolée, je le rappelais, mais il m'ignorait. Décidément, il n'aimait que Vincent.

Au détour du sentier, nous sommes tombés sur un grand gars qui tenait à la main une petite fille de cinq ou six ans. Derrière eux marchait une jeune femme.

Je me suis tournée vers Vincent :

– Rappelle Théo !

Mais Vincent restait figé sur place, les yeux agrandis, fixés sur le groupe. Je l'ai agrippé :

– Qu'est-ce qu'il y a ?

– C'est Maxime, ce salaud de Maxime !

L'autre, à son tour, l'a découvert :

– Eh, mais c'est mon voisin ! Et son sale cabot ! On ne le voyait plus, celui-là !

Il s'est tourné vers la jeune femme :

– C'est cette teigne qui m'a mordu l'autre jour.

La jeune femme a pris peur :

– Attention à Louise !

La petite fille a reculé d'un pas en brandissant un bâton qu'elle avait dû ramasser dans les broussailles.

Vincent a sifflé, mais Théo, intrigué par le bâton a couru pour s'en saisir. La mère alors a poussé un cri strident tandis que la petite Louise brandissait le bâton et l'abattait sur le nez de Théo.

Vincent s'est jeté en avant, mais trop tard. Au moment où il tentait d'empoigner Théo par le collier, celui-ci s'est jeté sur l'enfant et a planté ses crocs dans sa main. Au milieu des hurlements, des bousculades au bord du vide, la petite fille agitait sa main où perlait le sang, tandis que Théo aboyait de toutes ses forces.

Furieux, Maxime l'a écarté d'un violent coup de pied. Un instant, Théo s'est retenu de toutes ses griffes au bord du gouffre, puis il a basculé en arrière. Nous l'avons vu rouler sur la pente comme un sac, cahoter sur les buissons puis s'abattre sur un rocher plat beaucoup plus bas. Il ne bougeait plus.

Un instant tout le monde s'est immobilisé, les yeux fixés sur le corps inerte, puis Vincent a poussé un gémissement aigu. Il s'est élancé pour rejoindre Théo, mais je l'ai retenu de toutes mes forces.

– Tu vas te tuer ! ai-je crié.

Entre-temps, la petite, cajolée par sa mère, s'était calmée et regardait sa main en pleurant à petits bruits.

Maxime, un peu penaud, restait planté sur ses jambes, le regard vide. La mère de l'enfant s'est tournée vers nous en criant :

– Je vais emmener Louise dans la première pharmacie pour désinfecter sa plaie. Ce chien est-il vacciné contre la rage ?

Pour la première fois, Vincent s'est tourné vers elle :

– Bien sûr ! Je suis désolé, madame. Mon chien n'est pas méchant, il est seulement peureux. Et maintenant, il est…

Incapable de finir sa phrase, il a éclaté en sanglots. J'ai posé ma main sur son épaule. Son chagrin me brûlait le cœur. La dame a pris une voix radoucie pour dire :

– Je vous envoie quelqu'un tout de suite pour vous aider à remonter cette pauvre bête. Ne bougez pas d'ici et pas de bêtises ! Maxime, on y va !

Maxime a coulé vers nous un regard oblique, puis il s'est éloigné, tête basse, sur les talons de la mère et de l'enfant.

Vincent et moi nous sommes assis sur le bord du sentier. Il ne quittait pas le corps de Théo des yeux en essuyant ses joues mouillées du revers de sa manche. Moi, je ne disais rien.

Que dire ? Je sentais mes lèvres collées par la terreur. Mes genoux tremblaient et je me répétais que tout était arrivé par ma faute. Si je n'avais pas proposé le chemin de la falaise… Dix minutes auparavant tout allait bien, et maintenant Théo était mort. C'était comme d'avoir à la croisée d'un chemin choisi celui qui menait à l'abîme. J'aurais donné n'importe quoi pour enrouler à l'envers la bobine des événements et choisir le bon chemin.

À un moment, Vincent a pris ma main. Et j'ai compris qu'au lieu de me détester, il cherchait mon réconfort. Alors, nous nous sommes pris dans les bras l'un de l'autre et nous avons pleuré.

7

Au bout d'une heure, les pompiers sont arrivés. De grands gars vêtus de bleu et de bottes noires. Ils ont immédiatement déroulé un filin le long de la pente et l'un d'eux s'est laissé glisser en se tenant fermement. Il s'était muni d'un filet pour remonter Théo. Arrivé à la hauteur du corps, il l'a palpé un instant, puis s'est retourné vers nous :

– Le chien vit encore mais il est dans un sale état.

J'ai senti Vincent tressaillir à côté de moi. Lentement, le pompier a remonté la pente après avoir empaqueté Théo dans le filet qu'il tenait sur son dos. Pendant ce temps, les sauveteurs s'étaient fait raconter toute l'histoire. Ils parlaient fort, tranquilles, rassurants, comme si tout ce qui s'était passé se produisait tous les jours.

Sur le parking où ils nous ont ramenés, se tenait leur voiture rouge. En toute autre circonstance, j'aurais éprouvé une grande curiosité. Mais quand ils nous ont proposé de nous conduire chez le vétérinaire, je me suis glissée à côté de Vincent comme dans le premier taxi venu. Théo était couché sur ses genoux, l'œil entrouvert. En se penchant, on sentait son souffle léger passer sur nos doigts. Vincent ne pleurait plus. Sur son profil, je voyais saillir sa mâchoire. Il avait enfoncé son bonnet jusqu'à ses yeux et restait silencieux.

Nous sommes très vite arrivés sans que les pompiers ne mettent leur sirène en marche. Dans une rue de la ville, j'ai aperçu la silhouette de maman arrêtée à un carrefour. Elle parlait à Tristan, penchée sur lui. C'est seulement à cet instant que s'est profilé l'avenir immédiat. Qu'allais-je lui dire en rentrant ?

Mais nous arrivions à cet instant à la clinique vétérinaire. Vincent a tenu à porter lui-même son chien jusque dans le cabinet où nous attendait le vétérinaire prévenu par les pompiers.

Avec sa blouse blanche, sa paire de lunettes légèrement de travers sur son nez, il a pris le relais immédiatement en couchant Théo sur sa table d'examen.

– Alors, tu l'as retrouvé, ce fugueur ? a-t-il demandé tout en palpant les pattes et le corps de Théo.

Visiblement, il connaissait le chien de
Vincent de longue date et prenait un ton
léger pour nous détourner de notre chagrin. Comme Vincent ne répondait pas,
il s'est concentré sur son examen avant
de déclarer :

– Multiples fractures, choc, mais il va
s'en sortir. Comme la vraie bête sauvage
qu'il est. Pas vrai Théo ?

La paupière sans cil du chien a battu ; alors, le vétérinaire s'est redressé :

– Les enfants, vous allez maintenant me laisser faire mon travail. Vincent, j'appellerai ta mère en fin de journée pour la rassurer.

Avec un sourire, il a ajouté :

– Dans une semaine, avec un bon plâtre et une attelle, ton chien pourra rentrer chez lui.

Nous nous sommes retrouvés dans la rue, les mains vides mais le cœur plein. Le soleil éclaboussait la place de ses rayons blancs, tandis qu'un froid bleu descendait le long des façades.

Vincent se taisait toujours ; moi, j'ai commencé à grelotter.

– Comment on va faire pour les bicyclettes ? ai-je demandé d'une voix faible.

Une brusque fatigue me coupait les jambes.

Vincent a semblé s'éveiller d'un rêve. Il s'est tourné vers moi :

– Tu te rends compte : il a tenu le coup. C'est incroyable ! Ce chien est extraordinaire.

Soudain, quelque chose s'est décroché dans ma poitrine. Le courage me quittait. J'aurais voulu partager la joie de mon ami mais, pour la partager, il aurait fallu qu'il se rappelle mon existence. Or, il voguait, solitaire, dans son bonheur. J'ai senti ma voix se durcir :

– Oui, extraordinaire, mais il est 5 heures et je ne sais pas comment je vais récupérer mon vélo, ni ce que je vais raconter à mes parents.

Cela a suffi à le ramener à la réalité :

– T'inquiète pas, on va trouver une

solution. Moi non plus, je ne sais pas ce que je vais dire à ma mère.

Et nous sommes restés à fixer le trottoir. Finalement j'ai dit :

– Eh bien, je crois que moi, je vais rentrer à la maison à pied. Tu m'appelles pour me donner des nouvelles de Théo ?

Machinalement, Vincent m'a emboîté le pas et nous avons remonté l'avenue sans rien dire.

Plus nous nous éloignions de la clinique, plus l'image du chien couché sur la table d'examen revenait tourner autour de nous. Finalement, j'ai pris la main de Vincent :

– Ça va aller, il va se remettre…

Je cherchais une autre formule tant ces deux-là me semblaient nulles quand Vincent s'est arrêté pour me regarder :

– Sans toi, je la descendais cette pente, et alors…

Après ces quelques mots, nous nous sommes donné la main pour poursuivre notre route.

En arrivant devant la maison, j'ai demandé à Vincent de rentrer avec moi. Soudain, le plus simple, c'était dire la vérité à maman. Ensemble.

En fait, elle a été plutôt soulagée de me voir surgir et ne s'est guère étonnée de la présence de Vincent. Elle l'a pris pour un de ces copains de collège dont j'avais parlé. Nous avons raconté l'accident de Théo, le passage chez le vétérinaire, les bicyclettes abandonnées sur la côte sauvage. Maman nous a immédiatement proposé d'aller les chercher d'un coup de voiture.

Tristan, qui écoutait tout en croquant ses tartines, s'est écrié qu'il voulait venir lui aussi pour revoir le bunker. Tout le monde s'est entassé sur les banquettes, presque joyeusement. À croire que le soulagement, parfois, ressemble au bonheur.

C'est un autre crépuscule que nous avons trouvé en train de descendre sur le phare. Mais cette fois il était limpide comme une encre bleue. Une lune mince coupait le ciel, les mouettes s'étaient tues et la frange d'écume sur la plage brillait d'un éclat phosphorescent. Maman a pris une grande inspiration avant de murmurer :

– Que c'est beau...

Et nous sommes restés tous les quatre serrés les uns contre les autres à fixer le rivage, comme si Vincent était parmi nous depuis toujours. Puis nous avons retrouvé les bicyclettes côte à côte contre le bunker.

– On dirait deux amies, a déclaré Tristan, toujours sentimental.

Cette fois, je ne me suis pas moquée de lui.

UNE GRAINE EN CADEAU

Pour Igor, avoir un maximum de cadeaux pour ses dix ans va de soi. Mais son grand-père les lui confisque et lui donne, en échange, une simple graine.
S'il en prend soin pour qu'elle donne un fruit, alors seulement, Igor pourra récupérer ses cadeaux…

Auteur : **Gilles Abier**
Illustrateur : **Benjamin Adam**

UN PAPILLON D'HIVER

Dans deux heures, Tom sera en vacances et il connaît son programme d'enfant « tout seul à la maison pendant que ses parents travaillent ». Alors le billet de vingt euros que Tom retrouve au fond de sa poche, ce billet oublié, va devenir son ticket pour la liberté, l'aventure…

Auteur : **Richard Couaillet**
Illustrateur : **Glen Chapron**

LA DANSE DE L'ÉLÉPHANTE

Margot est ronde. Elle a bien du mal
à accepter son corps et en a assez
qu'à l'école on la traite de boudin
ou de mammouth. Mais un jour,
en assistant à un spectacle de danse,
Margot découvre qu'un corps
un peu rond peut être gracieux
et que danser donne des ailes !

Auteur : **Jo Hoestlandt**
Illustratrice : **Camille Jourdy**

GROGNON SUR LE TOIT

Balthazar vient d'être élu au conseil
municipal des jeunes et se voit,
plus tard, président de la République !
Son frère jumeau, lui, sera écrivain et,
de l'imagination, il en a : le jour où leur
Mamie se fait voler son nain de jardin,
il a l'idée d'emprunter le buste
de Marianne à la mairie...

Auteur : **Cathy Ribeiro**
Illustratrice : **Élodie Durand**

DES POULES ET DES GÂTEAUX

Nathan en a marre d'être juif et que ça lui embrouille la tête. Comment savoir d'où on vient, où on va ? Mais les gâteaux de sa grand-mère, l'élevage de poules de son grand-père, son histoire familiale, c'est le plus lourd mais aussi le plus beau des héritages.

Auteur : **Carine Tardieu**
Illustratrice : **Agnès Maupré**

BAO ET LE DRAGON DE JADE

Fleur de Printemps aime les légendes que lui raconte son grand-père. Le pendentif de l'enfant inspire au vieil homme celle de Bao, un jeune garçon originaire d'un village célèbre pour ses gisements de jade. Comment les villageois ont provoqué la colère d'un dragon dévoreur de la pierre précieuse et comme il a fallu du courage à Bao pour l'affronter !

Auteur : **Pascal Vatinel**
Illustratrice : **Peggy Adam**

Achevé d'imprimer en mars 2013
par l'Imprimerie Floch à Mayenne pour le compte des éditions
ACTES SUD, Le Méjan, place Nina-Berberova, 13200 Arles.

Dépôt légal
1re édition : octobre 2011
N° impr. : 84585
(Imprimé en France)